D0549230

Evelyne Wilwerth

Cloé chez les Troglos

Collection Jeunes du monde
dirigée par
FLAVIA GARCIA

ÉDITIONS DU TRÉCARRÉ

Données de catalogage avant publication (Canada)

Wilwerth, Evelyne

Cloé chez les Troglos

(Collection Jeunes du monde; 2)

ISBN 2-89249-598-9

I. Titre. II. Collection.

PZ23. W54C1 1995 j843' .914 C95-940309-4

Éditions du Trécarré
817, rue McCaffrey
Saint-Laurent (Québec)
H4T 1N3
Tél.: (514) 738-2911

Directrice de la collection: *Flavia Garcia*

Conception de la maquette: *Joanne Ouellet*

Illustrations: *Claire Gagnon*

Illustrations du lexique: *Sylvie Nadon*

Mise en pages: *Ateliers de typographie Collette inc.*

ISBN 2-89249-598-9

Dépôt légal – 1995
Bibliothèque nationale du Canada

Imprimé au Canada

Éditions du Trécarré
Saint-Laurent (Québec) Canada

Chapitre 1

Cloé regarde sa montre. Encore onze minutes avant d'arriver à Angers. Le train semble s'emballer. Il fait bong, bong, bong. Mais non! Le train glisse presque sans bruit... c'est le cœur de Cloé qui bat très fort.

Cloé respire profondément. Pourquoi aurait-elle peur? D'ailleurs, elle a décidé de ne plus avoir peur. Parce qu'elle a onze ans. Depuis trois jours. À onze ans, on ne tremble plus!

Encore huit minutes. Cloé pose la main sur son sac de voyage. Elle est prête. Son cœur bat à tout rompre. Et si sa marraine n'était pas sur le quai? Si elle n'était pas à la gare? Bong, bong, bong.

Cloé redresse la tête. Pas de raison de paniquer. Puisque tout s'est très bien passé depuis Bruxelles. Six heures de train. Et elle a changé de gare, à Paris, sans problème. Son premier voyage toute seule! À l'étranger! Alors? Bong, bong, bong.

«Dans quelques minutes, le train arrive en gare d'Angers... Angers!» Cloé répète à voix basse: Angers, Angers, Danger, danger.

Cloé attend sur la plate-forme. Le train ralentit.

Voici le quai... le train s'arrête brutalement. Cloé ouvre la portière, soulève son sac si lourd, descend les deux marches. Elle a un vertige; le quai lui semble infini. Des gens s'éloignent. Et Philomène? Où donc est sa marraine? Cloé se retourne. Elle voudrait pleurer. Soudain, quelqu'un la prend dans ses bras. Une longue femme très parfumée.

- Ma puce! Viens, Cloé!

- Oh! Philomène, tu es là...

- Bien sûr, ma puce. Tu as fait un chouette voyage?

- Oui.

- Tu as toujours ta frimousse de chat. Deux ans qu'on ne s'est pas vues, tu te rends compte?

Philomène l'entraîne vers la sortie. Ouf! Cloé se sent beaucoup mieux. Elle sourit en observant sa drôle de marraine: cette femme filiforme, aux lèvres mauves, dans cette longue jupe... ses parents l'appellent «Phénomène»!

- Devinette: quelle est ma voiture, Cloé?

Une quarantaine de voitures sont garées dans ce parking.

- Je parie que c'est cette vieille Citroën rose à pois rouges.

- Exact. Alors tu peux entrer dedans.

Philomène conduit en faisant de grands gestes et en regardant très peu la route.

- Tu sais que ton papa et moi, on

s'est revus à Paris il y a un mois?

- Bien sûr, Philomène.

- Je suis contente qu'on se soit réconciliés. Ça arrive, parfois, des brouilles entre frère et sœur. Tes parents m'appellent toujours Phénomène?

- Euh... oui.

Philomène éclate de rire et lâche le volant.

- ... Tu peux aussi m'appeler ainsi, Cloé. Je crois que ça me va très bien, ce surnom.

Les voici sur de petites routes.

- Mais où m'amènes-tu? Tu habites en rase campagne, maintenant?

- Tu sais bien que j'ai déménagé. Je vis un peu plus au sud de Saumur. Tu vas découvrir.

Philomène tourne à droite, s'engage dans un chemin de terre.

- Mais c'est le bout du monde, ici. Tu vis dans une maison tout à fait isolée?

- Tu vas voir, Cloé.

La campagne à perte de vue. Plus aucune maison; aucun panneau de signalisation. La voiture tourne encore à droite, prend un chemin tortueux, débouche sur un espace où quelques voitures sont garées. Mais... aucune maison.

- Voilà. Terminus, ma puce.

Cloé sort lentement de la voiture, intriguée et un peu mal à l'aise. Où donc Philomène l'a-t-elle entraînée? Est-ce une blague?

- Tu rêves, Cloé? Viens!

Cloé suit sa marraine dans un sentier étroit. Quelques buissons; le sentier tourne et descend en pente douce. Des coqs. Des poules. Cloé arrive dans une sorte de cour recouverte de terre. Qu'est-ce que c'est? Des maisons? Ce lieu est entouré de hauts rochers, envahis par la végétation. Mais là, ce sont des portes! On dirait des maisons. Des maisons dans les rochers? Un chien, un mouton. Un homme, assis par terre, en tailleur.

- Salut, Philo! Tu nous amènes la petite? Bonjour, la petite.

Cloé rougit. Où donc a-t-elle atterri?

Philomène s'arrête et pousse la porte.

- Voilà. Tu es chez toi, Cloé.

Une sorte de trou, de cavité. Avec un plafond courbe et bosselé. Mais qu'il fait froid... et là, une autre cavité: la chambre de Philomène.

- Et ici, ce sera ta chambre. Elle est un peu petite mais je compte l'agrandir.

- L'agrandir?

- Oui. Il n'y a qu'à creuser.

- Creuser?

- Oui! Creuser dans la roche. C'est pratique! Quand on veut plus d'espace, on creuse.

- Mais...

Cloé regarde, bouche bée. Rêve-t-elle ou quoi? Elle pense soudain aux hommes des cavernes.

- Tu ne savais pas que ça existait,

Cloé?

- Quoi?

- Mais les troglos!

- Les quoi?

- Les troglodytes! Les habitations creusées dans la roche! Il y en a beaucoup par ici, dans la vallée de la Loire. Attends une seconde, on m'appelle dehors.

Cloé est éberluée. Vivre dans ces trous? Sous terre? Dans cette obscurité? Dans ce froid? Alors que la chaleur est délicieuse à l'extérieur!

Ils sont fous, ces tro... ces troglos. Cloé s'écroule sur le lit étroit. Elle se demande pourquoi elle est là. Elle regrette soudain sa maison à Bruxelles. Sa maison inondée de lumière, avec des vitres partout. Non. Elle ne va quand même pas se terrer ici pendant cinq semaines! Jamais. Et en plein été! Pas possible de rester comme ça, immobile. L'humidité va la manger. Cloé se lève, examine sa chambre. Son trou, plutôt. Pas l'ombre d'une armoire! Et comme éclairage, une ampoule toute nue, contre la voûte. Et à terre? Pas de moquette, pas de tapis mais la roche brute! Glacée!

Si elle allait revoir les deux autres pièces? Elle s'engage dans l'étroit passage, entre dans la chambre de Philomène. Là non plus, pas de meubles. Rien que le lit. Mais un lit très large. Et des niches dans les murs. Elles servent d'étagères ou d'armoires. Un long miroir. Ça, c'est civilisé.

Cloé revient dans la pièce principale en courbant le dos, instinctivement. Devant elle, une grande table ronde, mais fixe, fixée au sol. Une table de pierre taillée dans la pierre même! Et presque tout autour, une banquette, elle aussi taillée dans la roche, faisant partie des murs. La façade est percée d'une fenêtre minuscule, décorée de rideaux de dentelle.

Mais où est la cuisine? Et la salle de bains? Apparemment, ces pièces n'existent pas! Ils sont fous, ces troglos.

Cloé s'assied sur la banquette blanchâtre. Elle frissonne. Pas possible. Elle se précipite dans la chambre de sa marraine, saisit un pull dans une des niches. Elle se poste devant le miroir, découvre qu'elle est couverte de poussière blanche. Pratiques, ces murs et ces banquettes. Vite, elle enfile le pull. Un pull écru. Il lui arrive jusqu'aux mollets. Quelqu'un éclate de rire derrière elle. Et Philomène se met à l'embrasser partout.

- Ma Cloé! Tu as déjà pris la couleur des murs. C'est bien, ma troglo!

Chapitre 2

Le lendemain matin, Cloé se précipite dehors. Vite, de la lumière! De la chaleur! Elle chancelle... qu'est-ce qui lui arrive? Est-ce le soleil qui l'éblouit? Ou, est-ce dû à la fatigue? Oh, cette maudite nuit qu'elle vient de passer. Une nuit pleine de cauchemars. Des rats qui traversaient son lit. Le plafond qui s'abaissait lentement jusqu'à la frôler... horreur.

Cloé fait quelques pas et heurte un mouton.

- Oh, je t'ai cogné. Moi qui adore les moutons.

Cloé enfouit les mains dans la toison et caresse l'animal. Ça y est. Elle a retrouvé son équilibre. Et les images sont nettes. Mais ces maisons dans la roche lui semblent encore irréelles.

- Combien y a-t-il de maisons, Philomène?

- Beaucoup... dans cette partie-ci, il y en a une vingtaine. Le site en comprend au moins cent cinquante. On trouve des troglos dans toute la région. D'Angers à Orléans.

Un homme barbu surgit d'un trou.

- Boris! Voici Cloé, ma puce qui vient de Bruxelles! Dis, si tu nous préparais des fouaces pour tout à l'heure, non? On mange tous ensemble, d'accord?

- C'est quoi des fouaces, Philomène?

- Tu verras.

Et Cloé se met à danser, à tourbillonner en récitant un poème.

- Regarde, la porte verte, là. C'est la salle de bains commune, à côté des toilettes.

- Il y a une baignoire?

- Bien sûr. Mais elle ne fonctionne plus, elle sert de rangement.

- Et il y a une douche?

- Oui. Eau froide uniquement.

Cloé frissonne tout à coup.

- Combien fait-il de degrés dans ces... dans ces trous?

- Douze. Température constante. Hiver comme été. C'est pratique! Il ne faut pas chauffer.

- Tu trouves? L'hiver, chez moi à la maison, il y a vingt-quatre degrés...

Cloé se tait, examine les façades.

- Et cette maison? Elle paraît plus large.

- C'est une ferme.

- Une ferme? Toute une ferme?

- Oui, Une ferme souterraine.

- C'est pour cela qu'il y a des poules et des moutons dans la cour?

- Et des chèvres. Mais en cette saison, la plupart des animaux sont dans les prairies.

Philomène et Cloé gravissent un sentier et débouchent sur la hauteur. Ou plutôt au niveau des champs.

- Hein? Des potagers? Oh, c'est drôle! Des potagers sur les toits! Vous êtes vraiment des... phénomènes!

Elles s'asseyent dans l'herbe. Cloé réfléchit, observe le site.

- Au fond, on ne repère presque rien de l'extérieur. On n'imagine pas que des tas de gens vivent ici, sous terre. Mais pourquoi vivez-vous comme ça? Comme des rats? Comme des taupes!

Philomène éclate de rire.

- Tu comprendras. D'abord, c'est une tradition dans la vallée de la Loire. Depuis le XIe siècle.

- Hein? Depuis si longtemps?

Une boule blanche bondit soudain sur elles.

- Tuffeau! Tuffeau!

Le caniche fou leur saute au cou, leur lèche le visage.

- Comment vous l'appelez?

- Tuffeau.

- Drôle de nom!

- C'est le nom de la roche de la région. Une roche très tendre, calcaire.

- Qu'on peut donc creuser facilement! Et cette roche, on la trouve dans la vallée de la Loire. C'est ça?

- Oui. Regarde Tuffeau. Tu lui plais!

Cloé sourit.

- Il porte bien son nom. Il a la couleur des murs. Pratique pour la poussière. C'est pour ça que tu as tellement de vêtements blancs ou crème?

Ambiance chez Boris, le copain de Philomène. Lui aussi est comédien. Cloé se réchauffe devant le four à bois. Ça sent merveilleusement bon, cette pâte fraîche. Boris et Marie, son amie, l'ont préparée ce matin.

- Vous n'avez pas de cuisinière? demande Cloé.

- Non. Pourquoi en aurait-on besoin? Et puis, un four à bois, c'est si beau. Dis, Cloé, tu es marrante avec ton pull qui descend aux mollets. Tu ne veux pas une écharpe, non?

Ils s'installent sur la banquette, autour de la table de pierre. Deux troglos viennent encore d'apparaître. Ils sont huit, serrés les uns contre les autres. Dora, institutrice. Hugues, potier. Bertrand qui est vannier. Et son fils Renaud, avec de longs cheveux châtains.

Pas de nappe. Mais des assiettes, quand même. On sert les fouaces sur un plateau: de petits chaussons dorés, de forme triangulaire. Très, très appétissants. Cloé imite les autres.

Elle entrouvre la fouace, la fourre de beurre, de rillettes et de haricots blancs; croque dedans. Un pur délice! La pâte chaude fond dans la bouche.

Comme elle se sent bien tout à coup. Elle a enfin chaud, partout. Elle regarde le groupe, rassemblé autour de la table ronde, sous la voûte claire. Les rires résonnent. Ils ont tous l'air un rien fêlés. Mais ils sont sympa...

- J'adore les fouaces, Phi... Phénomène.

Sa marraine la serre très fort contre elle. Et le vannier l'embrasse sur le front. Ils aiment les gestes tendres, ces gens!

Mais qu'est-ce qui leur prend? Ils commencent à tapoter sur la table. Avec les doigts, ou avec un couteau. Des rythmes naissent, un peu sourds. De plus en plus nets. Plus aucun mot; rien que les sons. Ces sons qui semblent sortir de la terre.

Des entrailles de la terre. Et Cloé pense: «J'entends le cœur de la terre. Les battements de cœur de la terre.» Tout chauds, tout chauds. Comme la pâte des fouaces. Un adolescent surgit.

- Philo! Téléphone!

Sa marraine se précipite dehors. Les rythmes n'ont pas cessé. Ils deviennent musique. On dirait que même les murs, même les voûtes se mettent à se balancer. C'est presque magique. Philomène réapparaît, reste debout. Plus de percussions. Le silence, tout à coup.

- Je dois aller à Paris. On me propose de remplacer une comédienne. Un spectacle de rue pour le 14 juillet. Je rencontre les responsables demain matin. Je pars ce soir. Je vous confie ma puce, mes chéris.

Cloé tressaille. Elle sent un éclair glacé dans tout son corps. L'atmosphère n'est plus magique du tout.

Le soir, elle décide de dormir dans le grand lit de Philomène. Là, dans cette chambre, elle aura moins l'impression d'étouffer. La voûte y est un peu plus élevée...

Elle s'est couchée sous trois couvertures. Elle n'a pas encore éteint; elle scrute le plafond. Soudain, elle remarque des lettres. Des lettres peintes, sur la gauche. Elle se lève, s'approche. Les mots sont écrits en tout petit. Et la peinture s'est ternie. Elle finit par déchiffrer: «Où est le Trou Beauté?» Cloé se recouche, toute rêveuse. Le Trou Beauté? Qu'est-ce que c'est? Ces mots se gravent en elle. Trou Beauté. Angers. Angers. Danger. Trou Beauté. Trou Cloé. Trou dodo.

Chapitre 3

- J'ai envie de tout voir! Envie de tout découvrir!

Et Cloé pédale comme une folle sur son vélo. Renaud suit, en roulant régulièrement. Il se dit que cette puce semble savoir ce qu'elle veut. Soudain, Cloé s'arrête et montre quelque chose du doigt.

- Renaud! Regarde! Là-bas. La paroi rocheuse avec les trous... on dirait une tête de mort. C'est quoi?

- Des cavités abandonnées depuis longtemps.

- Impressionnant! Aussi impressionnant que les champignonnières. Je n'avais jamais vu ça. C'est drôle de penser que des millions de champignons poussent là, sous nos pieds.

- Et tu sais que ces galeries mesurent plusieurs kilomètres? D'ailleurs, c'est rempli de galeries sous le sol. Des centaines de milliers de kilomètres.

- Tu n'exagères pas un peu?

- Mais non, Cloé. Jamais!

Ils roulent vers un autre site, plus proche de la Loire. Chaque fois, Renaud veut réserver la surprise à Cloé. Un vieil écriteau, piqué à un carrefour de chemins de campagne: «Cave Monplaisir».

- Tu devines, Cloé?

- Non.

Les voilà à l'entrée du site. Des ouvriers les accueillent. Ils les introduisent dans le lieu.

- Quelle odeur bizarre, murmure Cloé.

Ils pénètrent dans une cave immense. Sur le côté droit, une enfilade de tonneaux.

- Des tonneaux de vin! s'exclame Cloé.

- Oui! Il y a plus de cinq cents barriques stockées ici. Et des dizaines de milliers de bouteilles.

Cette cave est interminable. Des centaines de mètres.

- C'est une température qui convient bien au vin?

- Oui, dit Renaud. Ici, ils vieillissent tranquillement.

- Bien à l'abri, chuchote Cloé. Mais cette odeur...

Tu crois que ça peut rendre ivre? Moi, je me sens flotter...

Ils sortent de la cave Monplaisir en plissant les yeux. La lumière est éblouissante. Ils reprennent leur vélo sans parler. Cloé rêve. Que va-t-elle encore découvrir? Il s'en cache, des choses, sous terre. Elle repense au Trou Beauté. Ça l'obsède. Elle aurait tellement envie de le dénicher. Mais elle ne veut pas l'évoquer maintenant. Elle sent que c'est trop tôt.

- Ici! Sous les bouleaux!

- Non, ici, au soleil!

Cloé a gagné. Ils s'installent dans l'herbe.

- J'adore pique-niquer. Et toi?

- Assez, oui, répond Renaud.

- Elles sont délicieuses, ces tartines.

- Je l'espère. C'est mon pain.

- Ton pain? demande Cloé.

- Mais oui. C'est moi qui l'ai fait. Chez nous, on fabrique son pain soi-même.

- Tu m'apprendras?

- Oui. À condition que tu sois douée...

Renaud sourit malicieusement. Il observe cette drôle de fille, si petite, si menue, avec sa frimousse triangulaire et ses quelques taches de rousseur.

- Il ne te manque que des moustaches. Tu as une tête de chat.

- Et toi... tu es un vrai échalas! Combien tu mesures?

- Un mètre soixante-dix.

- Et tu as douze ans?

- Treize ans dans six mois...

- Donc douze ans et demi!

- Je préfère dire treize ans dans six mois.

Ils mordent ensemble dans une grosse gaufre.

- Pourquoi... pourquoi vivez-vous comme ça, sous terre, comme des taupes...

- Tu comprendras.

- Et toi, tu resteras ici, chez les troglos?

- Oui, je crois. Je suis né ici. Et puis, j'aime.

Renaud continue à observer Cloé. Cloé qui offre sa frimousse au soleil.

- Toi, tu ne vis sûrement pas dans un trou, en Belgique...

- Oh, non!

Cloé éclate de rire.

- Si tu savais... C'est réussi comme contraste!

- Une grande maison plein sud, dit Renaud.

- Pleine de lumière partout. Partout des vitres.

- Avec un jardin?

- Un énorme jardin. Clôturé.

- Chacun pour soi, c'est ça?

- Oui. Un quartier de villas. Avec piscine et tennis. Tu imagines!

Cloé rit. Elle avale de travers, tousse et rigole à nouveau.

- Là-bas, j'ai ma chambre avec salle de bains et toilettes. Et ici...

- Les toilettes communes! Les trous à douze degrés! L'obscurité! Le plafond sur la tête!

- Pas seulement ça... il y a aussi votre manière de vivre, ajoute Cloé, soudain sérieuse. Ici, vous vivez presque ensemble. Vous partagez tout. Même l'argent. C'est tellement différent. Je n'en reviens pas.

- Salut, papa!

- Au revoir, Bertrand!

Renaud et Cloé quittent le site des vanniers. Ils sont quatre-vingts artisans. Quatre-vingts vanniers à travailler l'osier dans ces caves. Parce que l'humidité rend l'osier plus souple. Donc, plus facile à manier.

- J'ai envie de te montrer des caves abandonnées avant de sortir, dit Renaud. Elles sont belles.

- D'accord.

Tous deux s'engagent dans un

long couloir voûté, qui va en se rétrécissant.

- Et tout au bout, il y a une chambre d'écho. Oh, attends, Cloé. Je dois vite demander quelque chose à papa. J'arrive dans une minute.

Renaud disparaît. La cave est peu éclairée. Cloé s'avance, en marchant lentement sur le sol bosselé. Le calme est impressionnant. Elle se dirige vers l'extrémité. Une chambre d'écho? Qu'est-ce que c'est exactement? Le couloir est de plus en plus étroit. Trois mètres de large. Deux mètres. Il tourne légèrement; un mètre cinquante. Cloé tâte les parois humides. Enfin, elle débouche dans une sorte de grotte toute ronde, sphérique. Une bulle. Même le sol est courbe. Insolite! Soudain, le noir. Le noir complet. Une panne d'électricité? Quel est ce bruit sourd? Cloé sourit: c'est sa respiration! Elle n'a pas peur. À onze ans, on ne tremble plus. Elle ne bouge pas. Le silence est total. Elle caresse la paroi de tuffeau. Fait même trois, quatre pas pour atteindre le centre de la grotte. Alors, elle a une idée. Ou plutôt une envie. Une chambre d'écho... Si elle parlait? Si elle chantait? Cloé commence.

- Troglos.

L'écho lui répond, très mystérieux, très sonore. Cloé continue, en s'arrêtant entre chaque mot.

- Je veux découvrir le Trou Beauté. Où est le Trou Beauté?

Lumière! Renaud est réapparu. Il a l'air inquiet, agité.

- Cloé! Qu'est-ce que tu as dit?

- Ah! ah! La panne d'électricité, c'est signé Renaud! Tu as voulu me tester ou quoi? Tu as voulu voir si j'allais appeler ma maman?

Renaud l'entraîne précipitamment. Soudain, il s'arrête.

- Cloé, qu'est-ce que tu as dit?

- Rien! J'ai parlé des troglos. J'ai déclaré que je voulais découvrir le

Trou Beauté.

- Comment sais-tu que... ?

- Je sais qu'il existe, c'est tout.

- Ne parle plus jamais de ce lieu. Moi, je n'y crois pas. Mais certains troglos affirment qu'il est enfoui sous terre et qu'il est très dangereux...

Le soir, Cloé se glisse dans le large lit de Philomène. Elle se sent bien. Elle sourit. Elle a encore en bouche le goût de sa mousse au chocolat. Celle qu'elle a préparée pour la tribu. Les images de la journée tourbillonnent dans sa tête: les vanniers, les caves à vin, la culture des escargots, les champignonnières, la chapelle troglo. Puis elle fixe les petites lettres inscrites sur la voûte. Elles sont peintes en couleur bronze. Pourquoi donc le Trou Beauté l'attire-t-il si fort? Parce qu'elle sent qu'il porte un secret? Le secret des troglos? De l'âme des troglos? Sa décision est prise. Elle fera tout pour découvrir le Trou Beauté. Elle le découvrira. Cloé éteint, se couche sur le côté. Elle ferme les yeux. Soudain, un bruissement. Cloé se redresse, inquiète. Qu'est-ce que c'est? Elle pousse un hurlement. Quelqu'un a bondi sur le lit. Quelqu'un qui se presse contre elle. Une fourrure tiède, une langue toute rêche. Tuffeau!

- Oh, Tuffeau. Viens.

Tuffeau plonge entre les draps et se serre contre Cloé.

- Tu vas me réchauffer, Tuffeau. Tu es un amour de troglo.

Là, au fond du lit, sous quatre couvertures, c'est le bonheur.

Chapitre 4

Cloé a choisi d'aller à pied. Elle marche sur le sentier étroit qui serpente à travers champs. Cela calme un peu son cœur qui bat trop vite. Bong, bong, bong.

Quinze jours déjà qu'elle a débarqué chez les troglos. Elle a visité tous les sites de la région. Avec Renaud; parfois seule. Maintenant elle attaque son enquête sur le Trou Beauté. Elle va interroger quelques vieux troglos. Ceux qui ont peut-être connu le Trou Beauté. Ceux qui savent peut-être où il se trouve. Il lui reste trois semaines avant son retour en Belgique. C'est court. Trop court?

Elle approche du hameau troglodyte. Hugues, le potier, lui a dit: «La porte bleue, dans la ruelle. C'est là, chez Berthe.»

Cloé frappe doucement à la porte. Pas de réponse. Une grosse voix retentit soudain derrière elle.

- Berthe, elle est là-haut!

Cloé remonte le sentier, se dirige vers les jardins et potagers. Une vieille est là, au milieu de ses légumes.

- Pardon, madame, vous êtes bien madame Berthe?

- Toi, tu es la filleule de Philomène, hein?

De petits yeux transparents la fixent sans ciller.

- Oui... Dites, madame Berthe, je peux vous poser quelques questions?

- Comment tu t'appelles?

- Cloé.

- Zoé? C'est un joli prénom, Zoé.

- Non, Cloé.

- Zoé, tu vas m'arracher mes mauvaises herbes, hein?

- Oui... Vous êtes née ici, madame Berthe?

Cloé répète sa question, en parlant plus fort.

- Évidemment.

- Et vos parents? Et vos parents?

- Aussi! Mes grands-parents se sont installés dans le hameau. Après leur mariage. Ici, ça coûtait moins cher. Pas besoin de chauffage. Et quand on manque de place, on creuse. Tu les arraches, oui, mes mauvaises herbes?

- Et les ancêtres? Les ancêtres troglos?

- Ce sont eux qui ont créé les sites. Ceux-là, ils avaient eu une idée de génie. Faire des trous et revendre le tuffeau enlevé... ça a servi à construire les châteaux de la Loire.

- Hein?

- Arrache au lieu de me regarder avec des yeux ronds.

Cloé obéit. Un silence. Son cœur bat trop vite. Difficile de poser la question...

- Et le Trou Beauté, madame Berthe, vous le connaissez?

- Le quoi?

- Le Trou Beauté!

Madame Berthe se redresse brutalement, renverse la tête en arrière. Un immense rire éclate, qui la secoue comme un vieil arbre.

- Ha, ha, ha! Foutaise! Foutaise! Ha, ha, ha! Arrache, Zoé.

- Foutaise, vraiment?

- Les gens inventent n'importe quoi pour rêver ou se faire peur. Ha, ha, ha!

Cloé s'éloigne à grands pas. Le rire de la troglo résonne. Elle l'entend pendant de longues minutes.

- Monsieur Jules?

- Oui.

- Je peux entrer? Je voudrais vous parler. C'est Hugues qui m'a conseillé de vous rencontrer.

- Toi, tu es la filleule de Philo?

- Oui. Comment le savez-vous?

- Tout se sait dans le site.

Monsieur Jules est long et maigre. Il a un regard perçant. Une vingtaine de paniers sont accrochés à la voûte. C'est superbe.

- Vous travaillez encore l'osier?

- Parfois, oui. Quand les doigts me démangent. Ils ont fait ça toute leur vie, alors... Qu'est-ce que tu veux savoir, toi, la petite Belge?

- Vous connaissez tout sur les sites?

- Ben oui. Tous les coins et recoins.

- Alors, vous connaissez le... le Trou Beauté?

Le visage de monsieur Jules change subitement.

- Ne parle pas de ça. Jamais! C'est un endroit maléfique. Le mal, tu comprends? Allez, déguerpis. Va jouer avec tes poupées.

Bong, bong, bong. Hugues l'a prévenue: Agatha est un peu folle. Et elle a nonante-trois ans.

Cloé s'arrête devant la porte entrouverte. Il fait très sombre à l'intérieur.

- Madame Agatha?

Quelques cris aigus. Est-ce une réponse? Cloé pousse la porte. Ça sent le pipi de chat. Elle distingue une silhouette tassée dans un rocking-chair.

- Madame Agatha? Je peux entrer?

Madame Agatha bat des mains, se balance plus fort dans son fauteuil. Un chat noir bondit sur la table de pierre. Un autre, roux, se faufile entre les jambes de Cloé.

Agatha pointe un doigt vers elle.

- Pitit chat, pitit chat.

Le visage est tout ridé, encadré de mèches blanches et hirsutes. Madame Agatha lui fait signe d'approcher.

Elle tâte le long pull de Cloé.

- Beau, beau.

Cloé lui sourit. Elle sent qu'elle peut poser la question immédiatement.

- Beau comme le Trou Beauté, Madame Agatha?

La vieille lève la tête, tend une main vers là-bas. Vers le nord.

- Oui. Beau. Beau.

Les chats sautent en même temps sur les genoux de madame Agatha. Celle-ci les caresse tout en se balançant. Cloé respecte son silence. Les félins ronronnent. Ça résonne bien, dans le trou. Les yeux de madame Agatha sont tout brillants. Comme ceux des chats. Soudain, elle se met à parler.

- Ramper, ramper. Pas pour les gros, hein! Pas pour les gros.

Ses mains tracent des spirales. Des spirales qui descendent. Vers le Trou?

- Très bon abri. Très bon abri. Pendant les guerres, hein? Pendant les guerres. Boum, boum. Obus, obus. Boum.

Madame Agatha glousse. Cloé fait balancer le rocking-chair. La vieille troglo bat des mains. Comme un bébé. Elle commence à chantonner.

- Troglodi, trogloda, bal des sots chez les troglos.

Cloé revient devant elle et bat des mains, elle aussi, en cadence. Il ne faut plus poser de questions. Simplement écouter, observer.

- Boum, boum. Troglodi...

Agatha avance les mains, cherche celles de Cloé, les saisit et les fait danser en poussant de petits cris aigus. Elle est visiblement heureuse.

- Merci, madame Agatha. Je vous aime bien. Avant de partir, je vais vous cueillir quelques fleurs.

Deux jours après, Cloé s'enferme dans sa chambre. Même Philomène ne peut plus la déranger. Elle travaille. Son front est brûlant, ses joues aussi. La fièvre!

Elle a interrogé quelques autres troglos. Hugues; Dora, l'institutrice. Ils ont tout fait pour la décourager. Le Trou Beauté? Une légende, sûrement! Et si, vraiment, il existe, il doit être enfoui sous terre, perdu à jamais. «Tu as une chance sur mille, la puce. D'ailleurs, d'autres ont cherché. Résultat: nul!»

Alors... Cloé est encore plus décidée, plus déterminée. Elle ira jusqu'au bout. Renaud est toujours très sceptique, très réticent. Mais elle réussira à le convaincre. Il l'accompagnera dans ses explorations. Cloé se concentre, prend des notes, lit des brochures sur les troglos. Elle consulte les cartes des sites. C'est elle qui les a établies, ces cartes. Avec toutes les cavernes, les galeries connues. Cloé reste enfermée dans son trou pendant quatre jours. Une taupe qui réfléchit, analyse, raisonne, se rappelle, rêve. Cloé surgit enfin dans la salle à manger.

- Ma puce! On dirait que tu sors d'un tombeau, s'exclame Philomène.

- Ça y est. Ma retraite est terminée. Maintenant j'ai des idées claires et précises. Je sais quels endroits je vais explorer. Mais... tes cheveux, Philo! Qu'as-tu fait? Tu as encore changé de teinte?

- Oui. Couleur...

- Tuffeau!

Et toutes deux, en chœur:

- Très pratique!

Philomène observe Cloé attentivement.

- Dire que je croyais que tu étais une graine de bourgeoise, Cloé...

- Une graine de bourgeoise?

- Oui. Comme ton père, comme ta mère. Mais tu es mieux que ça. Tu as des tripes. Tu as un noyau d'acier dans le ventre. Ça me plaît, ma puce.

Un silence.

- Dis, Philomène, je peux te poser une question?

Pourquoi as-tu décidé de vivre ici?

- Tu peux le deviner. Les troglos, c'est une grande famille. On ne se sent jamais seul. Et puis... pas question de se disputer! Sinon ce serait l'enfer! Et puis, ici on a la paix. Et puis...

- Et puis quoi?

- Tu comprendras peut-être, ma puce.

Chapitre 5

Renaud et Cloé ressemblent à des explorateurs. Ils portent boussole, cartes, plans, lampes de poche, gourdes et cordes. Cloé a fini par convaincre Renaud. Il lui a avoué qu'il serait quand même heureux de découvrir ce Trou mystérieux.

- Jusqu'à présent, c'est la bonne direction. Nord-est.

- À condition que ton hypothèse soit exacte!, réplique Renaud, un peu ironique.

Ils approchent de la chambre d'écho, dans le site des vanniers. Le long couloir se rétrécit, se rétrécit. Les voici au bord de la sphère étrange.

- Tu te rappelles? chuchote Cloé.

- Bien sûr, murmure Renaud. Quand j'ai testé ton courage, hein, la petite Belge!

- Et quand tu m'as interdit de parler du Trou Beauté... hein, l'échalas.

À partir de cet endroit, ils doivent allumer leur lampe de poche. Plus aucun système d'éclairage. Ils entrent dans une zone tout à fait abandonnée. Ils s'engagent dans une étroite galerie, à droite de la chambre d'écho.

- Direction nord, chuchote Cloé.

La galerie paraît longue. Le sol est de plus en plus irrégulier. Les deux lampes projettent des lueurs vacillantes sur les parois.

- Chut... j'ai cru entendre un bruit de gouttes d'eau, dit Renaud, à voix basse.

- Tu as trop d'imagination.

Ils s'immobilisent. Le silence est total. Presque oppressant.

- La voûte est si basse, ici. Tu crois que c'est prudent d'aller plus loin?

Cloé ne répond pas. Pas la peine! Renaud sait très bien qu'elle ira jusqu'au bout. Mais c'est vrai que la voûte s'abaisse progressivement.

- Dis, Cloé, je dois pencher la tête, moi.

- Pas moi, dit Cloé, malicieusement.

Ils progressent dans la galerie, en silence. Tout à coup, une fourche. Le passage se scinde en deux!

- Qu'est-ce qu'on fait? demande Renaud.

- À droite, répond Cloé. Vers l'est. Mais tu veux peut-être qu'on se sépare?

- Non... c'est très bien comme ça.

Ils continuent à marcher, l'un derrière l'autre. Ils sont couverts de poussière blanche. Renaud doit avancer en se penchant très fort.

- À ton avis, Cloé, ça pourrait

être à quelle distance d'ici?

- D'après mes calculs, environ un kilomètre.

- Un kilomètre à marcher ainsi, plié en deux! Qu'est-ce qui m'a pris de venir avec toi...

Nouvelle fourche! Ici, Cloé hésite.

- Il va falloir semer des bouts de laine.

- Des bouts de laine?

- Mais oui. Comme le Petit Poucet.

- Le Petit Poucet? C'était des miettes de pain qu'il semait.

- Du pain sur le tuffeau? Ça ne se verrait pas! J'ai choisi de la laine noire.

- Tu as pensé à tout. Mais quelle galerie va-t-on prendre?

Cloé marche un pas dans une direction, puis dans l'autre, en examinant la boussole.

- Plutôt celle de gauche. Quitte à essayer l'autre après.

Ils repartent. Cette fois, le sol est plein de creux et de bosses. Ils avancent, plus lentement encore. Ils se taisent. Cloé songe au Trou Beauté. Et s'il était laid? monstrueux? maléfique? Mais non. Elle ne serait pas aimantée comme ça, s'il était hideux. Quelle beauté? Quel genre de beauté? Elle aime cette avancée dans l'inconnu. Dans les entrailles de la terre. C'est tellement fascinant, ces passages creusés dans la roche. Creusés depuis combien de temps? Des siècles?

Renaud, lui, songe qu'il a mal au dos. Bientôt il sera obligé de marcher à quatre pattes. Il est fou de suivre cette folle. Soudain, il a peur. De quoi? Peur d'être bloqué. Peur de ne plus retrouver la sortie. Peur que ces parois ne se referment subitement sur lui.

- Oh!

- Qu'est-ce qu'il y a, Cloé?

- J'ai... j'ai marché sur quelque chose. Regarde. Des petits éléments... Des fragments...

- Des os! Un tas d'os! Oh, je n'aime pas ça. On rentre, dit Renaud.

Cloé s'agenouille, examine les os.

- C'est sans doute un animal qui est venu mourir ici, dit-elle.

- Ou qu'on a tué, ajoute Renaud. C'est de mauvais goût.

- Pourquoi? Il n'y a pas plus naturel que des os! Et ils sont mignons. Bon. Je continue.

Renaud la suit. À contre-cœur. Il ne va pas lui avouer ses peurs. Et puis, ce serait quand même extraordinaire de découvrir le Trou Beauté.

Bong, bong, bong. Le cœur de Cloé s'emballe. Car la galerie descend légèrement. Elle revoit les gestes d'Agatha: les vieilles mains qui tracent des spirales descendantes. La boussole indique le nord. Si le couloir pouvait tourner. Mais le sol est redevenu plat.

- Cloé... murmure Renaud.

- Quoi?

- J'ai entendu un bruit. Derrière nous.

- Pas possible, répond Cloé. On est seuls au monde. Maintenant le couloir n'est plus qu'un passage de quarante centimètres. «Pas pour les gros! Pas pour les gros!» disait Agatha. Le sol descend à nouveau, imperceptiblement. Soudain, les lampes de poche éclairent une paroi. Un mur! Devant eux! Terminus. Cul-de-sac. Un silence.

- Cloé... cette fois, j'en suis sûr. J'ai entendu du bruit. Je voudrais qu'on rentre. Par prudence.

Cloé hésite. Réfléchit. Elle finit par accepter, à regret. Ils entament alors le retour. C'est Renaud qui précède, cette fois. Il avance plus vite. Pressé de retrouver la lumière. Ils ne parlent pas.

- Non! s'écrie tout à coup Renaud.

- Quoi?

Renaud éclaire le sol.

- Les bouts de laine... les bouts de laine... Disparus!

Cloé parcourt une vingtaine de mètres. C'est vrai. Plus aucune trace de laine noire.

- On nous a suivis!

- Ce n'est pas grave, Renaud. Le chemin est simple. Il n'y a que deux fourches.

- Oui mais... souffle Renaud.

Cloé reprend la tête. En éclairant bien devant eux. Ils progressent assez rapidement. En silence. Voici enfin la chambre d'écho, puis le long couloir allumé. Vite, la sortie. La lumière. Le soleil! Cloé regarde sa montre. Ils ont passé une heure et demie sous terre!

- Quelle aventure...

- Tu parles, répond Renaud. Fini, l'aventure. J'en ai marre. Et je suis sûr qu'on nous a suivis. J'y renonce. Ça va mal tourner. Et puis je m'en fous de ton Trou Beauté. D'autres ont cherché. Tu le sais bien. Il n'existe pas.

- Je suis convaincue qu'il existe. Le Trou Beauté, c'est le cœur de la région. Le cœur troglo. Le lieu secret de rassemblement des habitants. Un lieu central vers lequel les galeries convergeaient.

À partir des hameaux les plus importants. Au nord-est d'ici.

- Tout ça, c'est dans ta tête! Ta tête d'obstinée!

Une tête de puce!

- Avec le témoignage d'Agatha. N'oublie pas.

- Cette vieille gaga! Et tu l'as crue! C'est toi qui es timbrée! Mais pourquoi donc... pourquoi t'entêtes-tu à ce point? Tu n'es même pas troglo. Tu es une étrangère!

Un silence. Cloé répond, calmement:

- L'étrangère va vous préparer une délicieuse entrée ce soir. Des tomates crevettes.

- J'aime pas les tomates. Et encore moins les crevettes.

Encore un silence.

- Je voudrais te poser une question, Renaud. À ton avis, qui nous aurait suivis? Ça m'intrigue. Ils ne sont pas nombreux, ceux qui sont au courant de notre projet. On a fait attention.

- Tu es idiote ou quoi? Chez les troglos, tout se sait, tout s'entend, tout se repère. Bon, moi je me taille.

Tu pourras les visiter toute seule, les trous. Moi, c'est terminé.

- Je ne serai pas seule, Renaud. Je viens d'avoir une idée.

Chapitre 6

Encore un carrefour. Cloé s'arrête, dessine la fourche sur son papier. Depuis la disparition des brins de laine, elle a décidé de ne plus laisser de traces de son passage.

- Si on s'arrêtait, Tuffeau? Tu n'es pas fatigué, toi? Cloé s'assied au centre du couloir souterrain. Tuffeau vient se jeter dans ses bras, débordant de tendresse.

- Mon petit amour... heureusement que tu es là.

Depuis une dizaine de jours, le caniche et elle explorent ensemble. Le chien rassure Cloé: en cas de problème, il peut la défendre. Et puis, il a l'art de dénicher les passages presque invisibles.

Dans huit jours, Cloé rentre à Bruxelles. Le délai devient très court. Réussira-t-elle? À certains moments, elle en doute. Quelque chose l'inquiète de plus en plus.

Et si les troglos avaient muré les galeries qui mènent au Trou Beauté? Muré ou obstrué? Cloé renifle. Le couloir porte une odeur particulière. Mais laquelle? Pas celle des vers à soie que l'on cultivait ici il y a trois siècles!

- Mon Tuffeau... Tu me parais un peu nerveux, toi.

Qu'est-ce qui se passe?

Cloé se relève. En fait, c'est un faux carrefour. L'ouverture de gauche se termine après six mètres. Alors, Cloé et Tuffeau s'enfoncent dans le couloir de droite. Ils marchent une dizaine de minutes. Soudain Cloé tressaille. Là, devant elle, n'est-ce pas un élargissement? On dirait qu'une faible lumière perce... elle s'immobilise.

- Arrête-toi, Tuffeau.

Le silence. Rien que le silence. Cloé éteint sa lampe de poche. Mais oui! Là-bas, c'est la lumière du jour qui filtre. Cloé s'avance. À sa droite, un couloir assez large qui débouche sur l'extérieur. Elle ne s'attendait pas à cette sortie. Tuffeau s'agite, tourne en rond. Il paraît nerveux, inquiet. D'autres odeurs circulent. Cloé se sent bizarrement mal à l'aise, tout à coup. Elle décide de poursuivre. Pas de raison de renoncer à cette exploration! Elle rallume la lampe de poche, fait une dizaine de pas.

Tuffeau rampe. Que sent-il? Il aboie. Soudain, une voix éclate:

- Foutez le camp! Bas les pattes!

Cloé distingue deux silhouettes sombres. Tuffeau est prêt à attaquer.

- Tuffeau, tais-toi! Je ne viens pas vous déranger, bredouille Cloé. Je vous assure.

Elle aperçoit des paillasses à terre. Un objet lance soudain un éclair.

- Bas les pattes, tu entends?

Pas la peine d'insister. Tuffeau aboie toujours, furieusement. Cloé le traîne vers l'extérieur. Tous deux s'éloignent rapidement.

- Viens, Tuffeau. Ce sont sans doute des squatters. On leur a fait peur. Maintenant, je comprends... ces odeurs particulières. Et toi qui étais agressif... Cloé se met à rire.

- Dis, Tuffeau. Des vers à soie remplacés par des squatters. C'est une belle métamorphose! Et cet objet qu'on a vu briller, était-ce un bijou ou un couteau...?

Plus que cinq jours. Philomène et Cloé se dirigent vers la salle de veillées. C'est à l'extrémité de la ruelle.

Cloé se sent lourde. Elle a l'impression de peser des tonnes. Elle a le moral par terre, n'a plus aucun appétit. C'est ça, le découragement? La sensation d'être raplati par le ciel, les gens, le destin? Philomène devine tout. Elle la prend par la taille. Elle ne lui pose pas de questions.

Elles pénètrent dans l'arrière-salle. Cloé grelotte; elle ne s'habituera jamais à cette température. Malgré le long pull de Philomène. Comme éclairage, des bougies noires. Cloé reconnaît Hugues, Bertrand, Dora, Boris, Marie. Et ce vieux, qui est-il donc? Elle l'a déjà rencontré. Oui, c'est monsieur Jules! Celui qui l'avait chassée de chez lui. Cloé frissonne. Elle a envie de rentrer, de s'enfouir dans son lit, avec Tuffeau comme bouillotte.

Ils sont une vingtaine. Sur la table, deux énormes tartes aux pommes, toutes chaudes. Des bouteilles de vin blanc. Cloé doit faire un effort pour dire bonsoir, pour les embrasser. Bizarre. Entre elle et la réalité, il y a comme un écran. Elle se sent ailleurs. Ou nulle part? Et ce monsieur Jules qui n'arrête pas de la fixer.

- Un morceau de tarte, Cloé?

- Non, Boris. Pas faim.

Boris pose un bisou sur ses cheveux. Cloé lui offre un demi-sourire. Ce n'est qu'alors qu'elle aperçoit des instruments de percussion, dans la grande niche du fond.

On ouvre les bouteilles. L'excitation monte. Cloé se terre, sur la banquette, contre la roche. Philomène s'est installée au centre de la salle. Ses lèvres mauves paraissent noires dans la lueur des bougies. Elle commence à dire un texte. Cloé n'a pas envie de suivre l'histoire. Elle voudrait pleurer. Elle se sent un chiffon. Un moche chiffon abandonné dans un trou.

Mais des rythmes naissent. Tom, tom, tom. Tom-tom. Cloé se rappelle sa seconde soirée dans le site. C'est alors qu'elle a entendu ces sons pour la première fois. Tong, tong. Ting, tong. Comme si la terre se réveillait. Le cœur de la terre, au fin fond de ses entrailles. Les battements de cœur de la terre sous la roche blanche. Un autre rythme naît. Cloé tressaille. Ça lui rappelle... Bom, bom, bom. Un deux trois, un deux trois, un deux trois, un deux trois quatre. Ça lui rappelle... La musique se glisse sous sa peau, entre dans son corps, dans sa mémoire. Son cœur bat la chamade. Oui! Troglodi, trogloda... Agatha! Les paroles qu'Agatha a fredonnées! Cloé est toute tremblante. Le rythme sort de la terre, de très loin, du fond du passé. Le vieux rythme des troglos qui devait retentir à chaque fête. Depuis des siècles.

Dans les salles de veillées. Et dans le Trou Beauté? Agatha, tu n'as rien inventé. Agatha, tu as dansé dans le Trou Beauté.

Cloé quitte l'assemblée. À présent, elle a envie d'être seule. Pour se calmer, pour réfléchir.

- Cloé! Cloé!

Quelqu'un surgit à côté d'elle, dans la pénombre.

- Renaud! Qu'est-ce que tu fais là?

- Je voudrais te parler. Deux minutes.

Cloé l'entraîne chez Philomène. Ils s'installent à la table de pierre. Cloé sent encore les rythmes battre sous sa peau. Elle a les joues brûlantes.

- Dis, Cloé... d'abord, je voulais m'excuser.

- Hein? Pourquoi?

- Parce que je t'ai traitée d'étrangère, l'autre jour.

- Je n'en suis pas morte!

- Non, mais... de la part d'un troglo, ce n'était pas chouette.

Renaud fourrage dans ses longs cheveux. Il est mal à l'aise.

- Je voulais te dire autre chose, Cloé. J'ai appris que tu étais tombée sur des squatters, du côté de l'ancienne magnanerie.

- Oui. Et alors?

- Je crois qu'ils sont armés. Je me suis dit que... que... la prochaine fois que tu explores, je t'accompagne.

- Mais j'étais avec Tuffeau!

Un silence.

- Quand repars-tu en Belgique?

- Dans cinq jours. Dimanche.

- Et tu comptes encore faire des recherches?

Cloé hésite à parler.

- Je dois réfléchir. Il vient de se passer quelque chose à la salle de veillées. Je suis encore sous le coup. Je ne peux pas t'expliquer. C'était peut-être comme un message. Un appel.

Cloé a un vertige. Elle a froid. Elle a chaud. Elle revoit Agatha. Ses vieilles mains qui s'agitent. Ses gestes. Les spirales descendantes. Les images se mêlent aux souvenirs de la chambre d'écho. Quand elle a sorti ces mots, la première fois: «Je veux découvrir le Trou Beauté. Où est le Trou Beauté?» Les phrases résonnent dans sa tête, dans la cavité blanche. Troglodi, trogloda.

Renaud l'observe, intrigué. Cloé murmure:

- Comme une pythie. Elle a parlé comme une pythie.

Soudain Cloé se secoue, paraît sortir d'un rêve.

- Renaud? Les pythies, quand elles se décidaient à parler, c'était pour dire des choses importantes?

- Euh... je crois.

Un silence.

- Demain matin, je passe chez toi. À 9 heures. Tu es libre?

- Oui.

- La nuit va mettre mes idées tout à fait en ordre. Je pense que c'est là-bas qu'il faut retourner. Là où le sol descendait.

Renaud la quitte. Cloé reste quelques secondes. Puis elle se précipite dans la chambre de sa marraine, allume, s'approche des lettres peintes. Elle les effleure. En souriant.

Chapitre 7

Le lendemain midi, Cloé et Renaud se laissent tomber par terre, à la deuxième fourche, dans le site des vanniers. Tuffeau est à quelques mètres, au bout du cul-de-sac. Le couloir de droite n'a rien livré.

Il débouche sur l'extérieur. Quant à celui de gauche... Renaud et Cloé se sont retrouvés devant la paroi complètement fermée. Le terminus.

- Pourtant, je sens quelque chose, Renaud. Quelque chose m'attire, là, au bout. Et Tuffeau qui ne revient pas... c'est bizarre, non?

- Allons, on y retourne.

Tuffeau renifle le bas de la paroi, à droite.

- Éclairons bien. Allume la troisième lampe de poche.

Dans la roche, une fente. Une longue fente horizontale. Puis une, verticale.

- Un bloc de pierre! le passage a été bouché... si ce bloc pouvait bouger...

Mais faut-il le pousser ou le retirer?

- On n'a aucune prise, Cloé. On essaie de le faire reculer?

Un bruit sourd. La pierre a tremblé.

- On recommence. Un, deux, trois.

La pierre s'enfonce de vingt centimètres. Puis, de trente. Cinquante. Le passage est ouvert! Les lampes éclairent un tunnel fort étroit. La hauteur du passage atteint, maximum, trente-cinq centimètres. Il va falloir ramper.

- Renaud! Les paroles d'Agatha... elle disait: «Ramper, ramper. Pas pour les gros!»

Ils ont franchi le passage difficile. Tuffeau les accueille, la queue frétillante. L'exploration l'amuse.

- Boussole?

- Nord.

Ils s'enfoncent dans le souterrain obscur, à la voûte très basse. Renaud marche, plié en deux.

- Cloé! Le sol descend...

- Oui. Si le souterrain pouvait se mettre à tourner.

Ta tête, Renaud! Attention!

La voûte s'abaisse encore. Les voici à nouveau devant un passage très bas. Un tunnel de quarante centimètres en largeur et en hauteur. Celui-ci est nettement plus long que le précédent. Trois ou quatre mètres! En rampant sur le ventre, avec leur matériel.

- Je ne savais pas que tu étais si souple, Cloé! Un vrai ver de terre.

Ils sont couverts de poussière blanche, des pieds à la tête.

- Tu n'as plus peur d'être suivi?

- Tu sais... je n'y pensais plus. C'est trop passionnant.

Un peu plus loin, ils sont encore obligés de ramper, pour la troisième fois. Puis c'est la surprise: l'étroit couloir tourne légèrement vers la droite.

Cloé revoit les mains d'Agatha. Bong, bong, bong.

S'ils pouvaient être sur la bonne piste!

- Ah! Ouh!

Cloé s'écroule devant Renaud. Elle est tombée dans un trou. Pas profond, heureusement.

- Tu n'as pas mal? On va mieux éclairer le sol.

Tuffeau s'est rué sur Cloé et la lèche partout pour la réconforter. Cloé se redresse. Un trou de trente centimètres de profondeur. Pas plus.

- Ça me fait penser aux chemins

initiatiques, Renaud.

Comme dans les contes.

- Ça veut dire quoi, initiatique?

- Des chemins pleins d'obstacles, de pièges pour tester la personne. Si elle surmonte les épreuves, elle... Oh, regarde! Le couloir tourne encore.

Spirales descendantes. Spirales descendantes. Exactement ça. Cloé et Renaud ont le cœur qui bat à tout rompre. Ils suivent le passage courbe, en pente douce. Ils n'osent plus parler. Une spirale, deux spirales.

Le couloir s'élargit brutalement. Devant eux s'ouvre une salle... Ils sont paralysés par la surprise. Les yeux émerveillés, la gorge nouée. Et le silence. Devant eux, cette salle très vaste. Avec des centaines de personnages sculptés qui sortent des murs. Qui semblent s'avancer vers eux, prêts à leur parler, prêts à les toucher. Des visages terribles. Comme s'ils criaient. Des bras levés. Des jambes tendues. Oui, des centaines de personnages sur toute la surface de la salle. Cloé et Renaud font quelques pas hésitants. Ils éclairent les différentes parties du lieu. Très impressionnés. Ces êtres de pierre sont prêts à bondir sur eux. De tous côtés. Étonnamment vivants.

- Quelles sculptures extraordinaires, murmure Renaud.

L'écho répète sa phrase.

- On l'a découvert, le Trou Beauté. Et quelle beauté, ajoute Cloé. C'est plus fort que moi. Je dois pleurer.

Renaud n'ose pas lui avouer que ses yeux picotent. Jamais il n'a vu une telle merveille. Et dire qu'il était sceptique. Ils éclairent les sculptures, encore et encore.

- Elles sont regroupées par métiers, chuchote Renaud. Regarde. Ici, ce sont les vignerons.

- Et ici les tonneliers.

- Et là? Des forgerons? Mais c'est étrange. Tous ces personnages ont l'air révoltés.

- Oh, Renaud! Des vanniers! Viens voir!

Renaud observe attentivement. Le voici soudain devant ses ancêtres. Il est ému. Et fier.

- Et là, ces femmes. Elles portent une faux. Ce sont des ouvrières des champs, probablement. Tu imagines le travail que ça représente, toutes ces sculptures? Des années de travail!

- Ces tailleurs de pierre, c'étaient de vrais artistes.

Tuffeau va d'un coin à l'autre, en bondissant. Il semble tout heureux de cette découverte.

- Cloé! Viens voir! Il y a des chiffres gravés.

- C'est sûrement une date. 1539. Tu crois que ce serait possible? Que ce soit si ancien? Plus de quatre siècles!

- Et ici, en bas, il y a un texte gravé. Mais les lettres ne sont pas très nettes.

Ils finissent par lire «NON À VILLERS-COTTERÊTS».

- J'ai appris ça en histoire, murmure Renaud. Attends que je me rappelle. Ce n'est pas sous François Ier? Je crois qu'il avait fait interdire les groupes de métiers, les confréries. Mon grand-père m'avait expliqué ça un jour.

- Alors, les artisans se sont révoltés. Ils ont dit non au roi. Ils ont voulu rester libres et unis. Et toutes ces sculptures montrent leur révolte.

Cloé se tait. Elle a du mal à parler.

- Renaud... c'est bien ça, le véritable esprit troglo, hein? La liberté, depuis des siècles. Ce sont des gens qui ont voulu vivre autrement. Et encore aujourd'hui... Renaud! Tu saisis, maintenant?

Je voulais savoir. Comprendre à fond. Remonter dans le temps. C'est pour cela que le Trou Beauté m'attirait si fort.

Un silence. Renaud va examiner à nouveau le groupe des vanniers.

- Dis, je me rappelle vaguement quelque chose. Mon grand-père m'a parlé un jour d'une caverne sculptée. Une caverne où ils organisaient de grandes soirées. Pour fêter les jeunes qui avaient réussi leur chef-d'œuvre...

- Leur chef-d'œuvre?

- Oui, les apprentis artisans devaient présenter un travail difficile devant un jury.

- Regarde, Renaud. Le sol est parfaitement plat et lisse! C'est ici qu'ils dansaient.

- C'est ici que mon grand-père a dansé...

- Et Agatha!

- Et c'est ici qu'ils se réfugiaient pendant les guerres et les attaques.

- Moi, j'ai l'impression d'être troglo, murmure Cloé.

Ils refont le tour de la caverne, fascinés. Ils resteraient des heures dans ce lieu magique.

- Regarde cette femme! On dirait qu'elle fait un pied-de-nez!

Soudain Tuffeau se met à aboyer. Cloé et Renaud se regardent, intrigués, inquiets.

- Chut, Tuffeau.

Le calme. Aucun bruit.

- Cloé... je pense tout à coup à... au bloc de pierre. Et si quelqu'un nous avait suivis? Si quelqu'un avait bouché le tunnel?

Cloé pâlit.

- Il faut sortir d'ici, Renaud. Dommage. Mais il faut quitter.

Les spirales montantes. Les couloirs étroits. Les passages à plat ventre. Ils font ce trajet retour sans parler. Tuffeau aboie à nouveau.

- Cette fois j'ai peur, chuchote Cloé. Ce serait l'horreur si... si...

Ils doivent approcher de la paroi faussement fermée. Bong, bong, bong. Le sol monte sensiblement. La traversée du couloir étroit leur semble interminable. Enfin, voici le mur dressé devant eux. Tuffeau les précède, revient en arrière. Aïe! Ça voudrait dire que... Les lampes éclairent le bas de la paroi. Ouf! Le bloc est là, sur le côté. Il n'a pas été déplacé. Cloé et Renaud rampent.

- Dis, Cloé... on ne sait pas remettre le bloc en place.

- Pas grave. Maintenant, le Trou Beauté sera à tout le monde!

À tous les troglos!

Ils avancent de plus en plus

rapidement. Les voici déjà dans la chambre d'écho. Cloé s'arrête, hésite, va jusqu'au centre de la sphère et crie:

- Trou Beauté! On t'a découvert! Et c'est extraordinaire!

Un écho répète, quelques secondes plus tard: «Merci, Cloé!»

Le soleil les accueille à l'extérieur. Cloé et Renaud font des bonds. On dirait qu'ils sont fous. Fous de bonheur.

Chapitre 8

Le train glisse sans bruit. Il longe la Loire. Cloé ferme les yeux. Elle les revoit tous les trois sur le quai de la gare d'Angers. Philomène, Renaud et Tuffeau. Trois silhouettes crème. Elle a mal, là, au ventre. Dur de se quitter. Dur.

Le train danse sur les voies. Il fredonne en sourdine. Troglodi, trogloda. Les images tourbillonnent dans la tête de Cloé. Les trous. Les squatters. Les potagers. Les fouaces.

La chambre d'écho. Troglodo. Une image la fait tressaillir. Celle qu'elle a vue dans le miroir, au buffet de la gare. C'est-à-dire... son reflet!

C'était bien elle, cette fille à l'air décidé? Cette fille rayonnante? Comme elle a changé. En cinq semaines!

Cloé rouvre les yeux. Le train joue avec les vignobles. Un défilé de vignobles. Et sous la terre, des milliers de barriques. Des milliers de galeries. Des milliers de trous. Oh, ces derniers jours ont été fous. Bal des sots chez les troglos. Ils ont tous voulu aller voir le Trou Beauté. Et c'était bien ça. La caverne sculptée. Enterrée à jamais. Perdue à jamais. La fête qui a suivi dans la salle des veillées. Toute la nuit! Ils étaient tous là. Ils ont dansé. Même Agatha a dansé. Les percussions battent encore sous la peau de Cloé. Bal des sots chez les troglos. Et à la Toussaint, ce sera la toute grande fête. Au Trou Beauté. Ils vont inviter des centaines de personnes! Encore dormir combien de fois?, rêve Cloé. Le train valse sur les voies. Troglodi, trogloda. Encore dormir combien de fois?

Soudain, Cloé rouvre les yeux. La lumière l'éblouit. Elle fouille dans son sac, fiévreusement, en sort une enveloppe noire. C'est Boris qui la lui a remise. Elle l'ouvre, le cœur battant. Un dessin! Un groupe de taupes à lunettes dans une cavité!

«Avec un immense bisou-merci». Et sous chaque taupe, une signature. Même Tuffeau a signé.

Cloé sourit. Elle va le faire encadrer, ce dessin. Le train ralentit. Il s'engouffre dans un tunnel. Et s'il s'enfonçait sous terre, dans les galeries obscures... Cloé reprend l'enveloppe noire. Une impulsion. Si elle contenait autre chose? Ses doigts tâtent, découvrent un papier. C'est un tout petit feuillet et l'écriture est minuscule. Cloé se concentre: «Cloé. C'est moi qui t'ai suivie dans tes explorations. Je n'avais pas envie que tu trouves la caverne sculptée. C'était notre secret, à Berthe et à moi. Mais tu as été jusqu'au bout.

Alors...» Sous le texte, une signature. Monsieur Jules. Et puis, en lettres plus serrées encore, une phrase: «Nous avons d'autres secrets.»

Cloé presse l'enveloppe noire contre elle. Elle sourit. Le train s'enfonce dans les entrailles de la terre. Pour percer ses mystères.

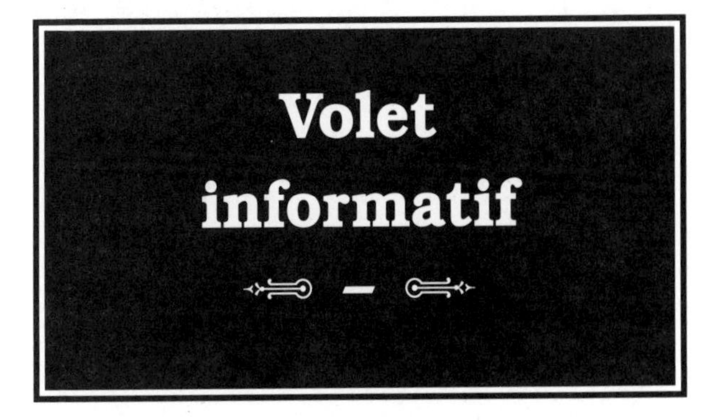

Rédaction:
Francine Joly

Collaboration spéciale:
Nadia Ghalem

UN PEU DE TOURISME DANS LA RÉGION DES TROGLODYTES

La Loire

La Loire est une région au climat très doux, avec des printemps précoces et des automnes lumineux. On y cultive la vigne, ce qui donne quelques-uns des vins les plus célèbres de France. Mais la Loire, c'est avant tout le plus long fleuve français (1020 km). Son bassin, qui couvre environ le cinquième du territoire français, s'étend sur l'est du Massif central, le sud du Bassin parisien et le sud-est du Massif armoricain.

En quittant le Massif central, la Loire pénètre dans le Bassin parisien et y dessine, vers le nord, une large boucle dont Orléans constitue le sommet.

La Loire se jette dans l'Atlantique par un long et vaste estuaire, situé en aval de Nantes. Ce fut une voie de navigation très importante de l'époque romaine jusqu'au XIXe siècle.

Les pays de la Loire comprennent cinq départements: Loire-Altlantique, Maine-et-Loire, Mayenne, Sarthe et Vendée.

UN PETIT TOUR DU CÔTÉ D'ORLÉANS?

Orléans était jadis située dans une zone très fréquentée. La ville a été souvent convoitée par les conquérants. Sous la domination romaine, on l'appela Auralium. Elle fut aussi assiégée par Attila, roi des Huns au début du IVe siècle. Puis, Orléans fut conquise par Clovis, en 498. Et sous le règne de Charlemagne, vers l'an 800, elle devint une ville de prestige et la capitale des intellectuels. Ce fut la ville des rois de France, car plusieurs y ont été sacrés. Orléans a été libérée des Anglais par Jeanne D'Arc, le 8 mai 1429, après un siège de sept mois. Cependant, la ville a été touchée par les guerres en 1870, en 1940 et en 1944.

UN PEU DE GÉOGRAPHIE

La vallée de la Loire

Le plus long fleuve de France a donné son nom à la région qu'il arrose, la vallée de la Loire. C'est sur les bords de la Loire que furent construits les plus beaux châteaux du monde. Ce fleuve royal devait également donner naissance à une autre forme d'habitation tout aussi remarquable, à une véritable civilisation souterraine, l'habitation troglodytique.

C'est en parcourant la Loire que l'on rencontre sur son chemin les troglodytes. Le troglodytisme s'est développé au cœur de la France, d'Angers à Orléans, et plus particulièrement à Saumur, région renommée pour ses vins blancs mousseux. Outre la vigne, on trouve à Saumur la pierre qui a servi à édifier les plus belles demeures de France: le tuffeau. Son extraction permettait au paysan comme à l'artisan d'y aménager sa ferme, sa maison ou son atelier. Des hameaux et des villages souterrains furent ainsi créés à Saumur, sur des centaines de kilomètres.

UN PEU D'HISTOIRE

Des oiseaux et des hommes

Le mot «troglodyte» vient des termes grecs, *trôglê*, trou et *dunein*, qui signifient «pénétrer dans la terre». Le troglodyte est une personne qui habite une grotte ou une demeure creusée dans la roche. En France, dans la région de la Loire, cette roche porte le nom de tuffeau. Il s'agit d'une matière poreuse, friable et légère, à la consistance de la craie, dans laquelle entrent d'autres minerais tels que des grains de quartz et de mica.

En s'éloignant quelque peu des rives de la Loire, on rencontre dans les plaines d'autres habitations troglodytiques, mais creusées cette fois dans le falun. En effet, le paysan utilisait jadis ce sable crayeux, riche en débris de coquilles et en fossiles marins, pour fortifier ses terres pauvres en calcaire. Son extraction du sol donnait naissance à d'importantes carrières, où le paysan creusait sa ferme sous terre, à bon marché.

À l'intérieur des habitations troglodytiques, la chaleur humaine suffisait à produire les 12 °C considérés, à l'époque, comme la température confortable. La cheminée servait plutôt à la cuisson des repas, dans lesquels entrait la fouace, un pain non levé cuit sous la cendre chaude. Il semble que la fouace soit l'équivalent du pain pita, cette galette plate que l'on farcit de viande, de fromage ou de légumes. La cheminée

débouchait donc à l'extérieur, sur la terrasse ou le toit de la grotte, où étaient aménagés jardinets et potagers.

UN AUTRE ASPECT INTÉRESSANT

Comme le terme «troglodyte» signifie «habitant des cavernes», on a aussi donné ce nom à un tout petit oiseau ayant l'habitude de faire son nid dans des cavités naturelles. À la différence de l'homme qui creuse sa demeure sous terre, le troglodyte niche dans le moindre emplacement creux. On peut, en effet, trouver des nids de troglodytes dans la poche d'un épouvantail, dans une vieille chaussure ou encore dans un pot de fleurs oublié sur le dessus d'une pompe à eau ou d'une boîte aux lettres, dans le radiateur d'une automobile abandonnée, dans les machines agricoles sous des morceaux d'écorce, et pourquoi pas au sol, dans un crâne de

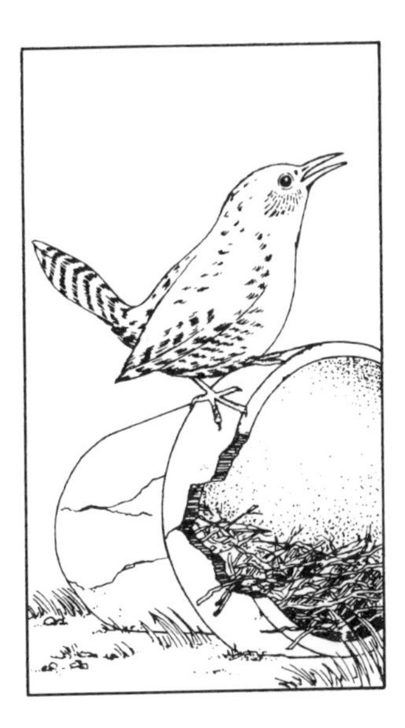

vache! Le troglodyte peut aussi adopter un nichoir d'oiseaux, surtout si l'entrée est petite. Un tout petit trou garantit sa sécurité contre l'assaut des oiseaux plus gros que lui, le moineau par exemple. Il faut dire que le troglodyte ne mesure que 10 à 12 centimètres.

UNE VIE QUI A DU STYLE

À Saumur

L'extraction du tuffeau le long des coteaux de la Loire, pour la construction des demeures impériales, permit aux paysans d'aménager leurs fermes dans de vastes carrières. Des familles entières s'y installèrent et firent l'élevage, la vinification, la vannerie, la culture des escargots et des champignons et d'autres formes d'artisanat. Toutefois, certains s'installèrent dans les cavernes vides sans aucune autorisation. On les appela des squatters, mot anglais désignant une personne sans abri qui occupe illégalement un logement vacant.

Si vivre sous terre représentait un mode de vie économique, l'habitation

troglodytique n'était pas pour autant le logement du pauvre. Bien au contraire, une véritable civilisation souterraine s'est installée sous la voûte rocheuse dont l'origine remonte au XIIe siècle. Une vie communautaire bien organisée y régnait comme dans les villes à ciel ouvert. Sur les 400 kilomètres carrés de Saumur, par exemple, hameaux, villages et demeures sont nés entièrement sous le sol. On y retrouve tous les types d'habitations: rurales, bourgeoises, seigneuriales et même religieuses, puisque des cathédrales furent aménagées sous forme de vastes salles en ogive.

Ces cavernes représentaient des logements sûrs, faciles à défendre lors des attaques d'envahisseurs et des guerres de religion. De dimensions illimitées, on pouvait également y ajouter une pièce, à l'arrivée d'un nouveau membre de la famille.

AUTRES ASPECTS INTÉRESSANTS

Les troglos de nos jours

De nos jours, les troglos ne sont presque plus habités. Seules des personnes exerçant des activités industrielles ou touristiques y vivent encore, perpétuant ainsi un ancien mode de vie de la vallée de la Loire. En effet, on doit au troglodytisme les plus grands crus des vignobles de la Loire, qui fermentent longuement dans les caves à vin aménagées sous des kilomètres de voûtes de tuffeau.

Les trois quarts de la production française totale du champignon de Paris s'effectuent dans les champignonnières de Saumur. Les caves de tuffeau offrent des conditions idéales pour la culture du fameux champignon.

Certaines habitations troglodytiques servent aujourd'hui de gîtes ruraux ou de petites auberges pittoresques. Restaurants, musées, magnaneries, moulins à farine et autres attractions occupent désormais les sous-sols de la Loire, préservant ainsi les vestiges de toute une civilisation.

La caverne sculptée

La caverne sculptée de Denez-sous-Doué est, en fait, une ancienne carrière d'extraction de tuffeau. Elle servit de refuge pendant les époques obscures de l'histoire ainsi que de lieu initiatique. Véritable joyau de l'art populaire du XVIe siècle, l'œuvre taillée directement dans le tuffeau représente des centaines de personnages et témoigne de l'humour de ces sculpteurs marginaux. Ils durent braver l'ordonnance de Villers-Cotterêts, sous François Ier, en 1539, qui abolissait les confréries de métiers.

Le moulin cavier

Un moulin cavier a été édifié au-dessus de caves troglodytiques, dans lesquelles se trouvent les meules. Un cône en tuffeau a été bâti au sommet, d'où une cabine orientable, la hucherolle, supporte les ailes. D'autres moulins servirent à la mouture des céréales, puis au broyage de l'écorce de châtaignier en vue d'extraire le tanin destiné aux tanneries.

LES QUATRE TYPES D'HABITATIONS TROGLODYTIQUES

Voici les quatre types d'habitations troglodytiques que l'on rencontre le plus fréquemment.

Les carrières de falun et de tuffeau possèdent d'impressionnantes galeries abritant des caves à vin et des champignonnières. Ces galeries creusées dans le tuffeau atteignent 1000 kilomètres dans les seuls coteaux de la Loire.

Les souterrains-refuges furent très nombreux en Anjou, mais sont devenus, pour la plupart, peu accessibles de nos jours à cause des éboulements. Comme leur nom l'indique bien, ces grottes constituaient des cachettes à diverses époques obscures de l'histoire du continent européen.

L'homme s'y est d'abord protégé du froid et des animaux dangereux. Des peintures sur les murs des grottes témoignent d'ailleurs de la présence d'hommes à une époque lointaine. Plus tard, ces grottes ont servi de refuge lors des invasions romaines. Pendant les guerres de religion du Haut Moyen Âge, des populations se sont employées à restaurer les grottes pour en faire des abris sûrs remplis de pièges pour les assaillants non avertis. Des ermites religieux y ont également trouvé une sérénité tant recherchée. De 1939 à 1945, les bombardements de la Seconde Guerre mondiale ont forcé les habitants de ces régions à regagner les caves.

Les troglodytes en coteaux étaient creusés pour y être habités. Certains devenaient de riches demeures. À l'époque, la technique consistait à creuser le flanc du coteau pour y aménager le nombre de pièces désirées, tout en délimitant portes et fenêtres. La maçonnerie des façades de ce type d'habitations ressemble à celle de nos maisons traditionnelles.

Les troglodytes en plaine. Même si l'on s'éloigne des rives et des coteaux de la Loire, le phénomène troglodytique ne disparaît pas pour autant. Dans les plaines de Saumur, notamment, l'habitation troglodytique est restée très vivante, puisque l'on peut encore visiter de très beaux sites de ce type et que certains sont même habités.

Deux types de sous-sols ont favorisé la construction des troglodytes en plaine. Dans la plaine de Tuffeau, là pierre extraite a servi à l'édification des beaux immeubles de la Loire. Dans la plaine de Falun, la pierre crayeuse, friable et riche en débris coquilliers et en fossiles marins, fut le témoin de la vie à une époque reculée. De ces galeries qui y ont été aménagées, on y trouve encore des cathédrales creusées dans de vastes salles en forme d'ogive.

LEXIQUE

BARRIQUE: Tonneau d'une capacité de 200 litres.
Le tonneau est un récipient au flanc arrondi, fait de planches de bois s'emboîtant les unes dans les autres sur la longueur et retenues ensemble sur la largeur par des cercles. Le tonneau est fermé à ses deux extrémités par deux fonds plats.

BOUSSOLE: Appareil composé d'un cadran où sont indiqués les quatre points cardinaux: le nord, le sud, l'est et l'ouest. Au centre du cadran se trouve une aiguille aimantée qui pointe toujours vers le nord, ce qui permet de s'orienter.

CHAMADE:
L'expression «le cœur battant la chamade» signifie que le rythme du cœur est accéléré sous l'effet d'une émotion forte.

ÉCHALAS:
Nom familier donné à une personne grande et maigre, sans doute en comparaison avec les piquets et les pieux qui servent de tuteurs aux vignes et aux plantes grimpantes.

ÉCHO:
Répétition d'un son par résonance. L'écho résulte de la réflexion d'une onde sonore sur un obstacle tel qu'un mur, un rocher, une chambre circulaire, une falaise ou encore une grotte.

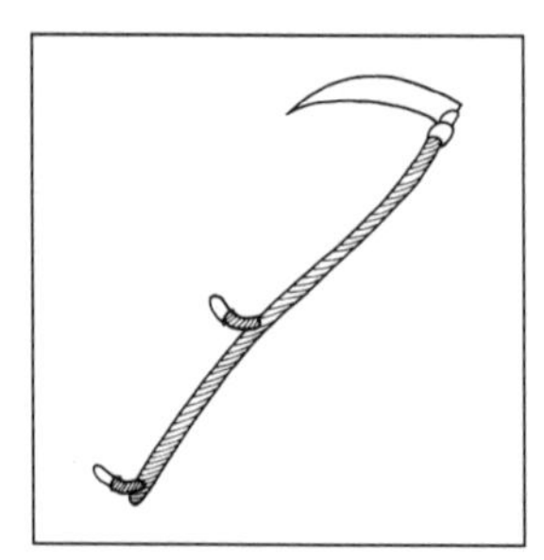

FAUX:
Instrument tranchant muni d'une longue lame d'acier recourbée et fixée à un manche court ou long, selon l'usage.

Fixée à un manche court, elle s'appelle alors faucille. Cet outil sert à faucher les hautes herbes, le fourrage pour les animaux et les céréales.

FILIFORME:
Qui fait penser à la minceur d'un fil.

GLOUSSER:
Rire en poussant de petits cris qui font penser à ceux de la poule appelant ses poussins.

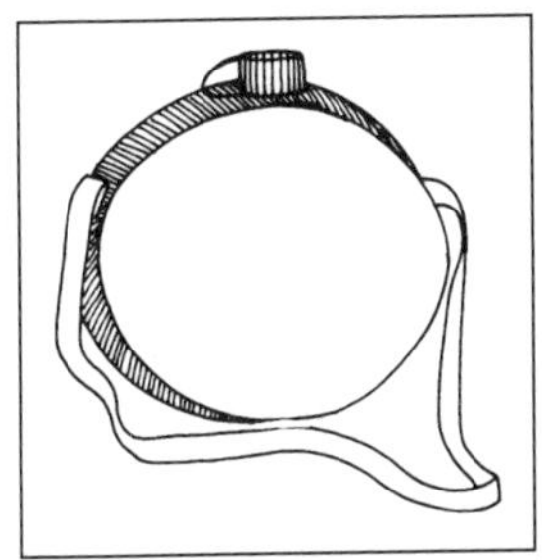

GOURDE:
Récipient de forme arrondie et plate servant à conserver les boissons, en voyage ou en excursion. L'origine de cet objet vient de la plante du même nom qui donne un fruit creux pouvant servir de bouteille.

HYPOTHÈSE:
Raisonnement formulé dans le but de trouver une solution à un problème ou à une question sans réponse. C'est une supposition destinée à expliquer ou à prévoir un fait. Formuler une hypothèse, c'est un peu tenter de répondre à une question laissée sans réponse.

MAGNANERIE:
Bâtiment destiné à l'élevage des vers à soie et à la récolte des cocons soyeux qu'ils produisent. Provient du mot «magnan» qui signifie «ver à soie». Nous appelons l'industrie se rattachant à l'élevage des vers à soie, la sériciculture. Le magnanier et la magnanière, autrefois appelée magnanarelle, sont les personnes qui travaillent à l'élevage et à la récolte des vers à soie.

NONANTE:
En Belgique et en Suisse romande, on dit nonante pour le chiffre 90. On dit aussi septante pour le chiffre 70, et octante pour le chiffre 80.

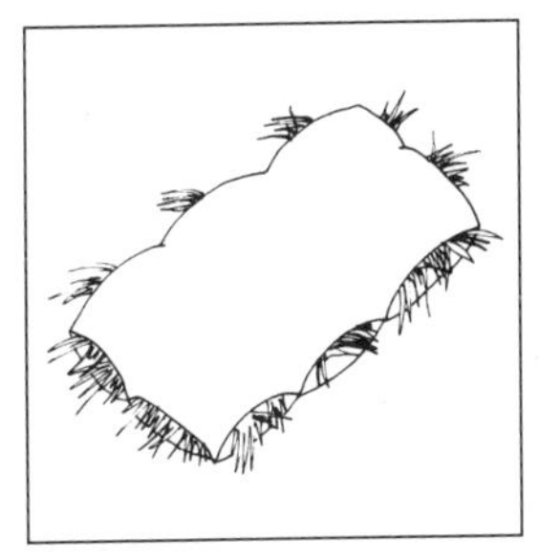

PAILLASSE:
Genre de matelas de paille où couchent les pauvres et les prisonniers.

PERCUSSION:
Son obtenu en frappant la peau du tambour avec les mains ou des baguettes. Le tam-tam, le gong et les cymbales sont aussi des instruments à percussion.

PHÉNOMÈNE:
Qui est surprenant, rare. On peut dire d'une personne qu'elle est un phénomène, quand elle nous étonne par son originalité.

PIED-DE-NEZ:
Pour faire un pied-de-nez, on place son pouce devant son nez et on ouvre la main. Ce n'est pas très gentil, ni joli.

PYTHIE:
Femme qui a le don de prédire l'avenir (voyante). Ce mot qui provient de l'Antiquité désignait la prêtresse du temple du dieu grec Apollon, à Delphes. Mais c'est un mot ancien qui est employé davantage en poésie ou en littérature que dans le langage courant.

RILLETTES:
Genre de pâté de viande de porc ou d'oie cuite dans de la graisse; l'équivalent des cretons du Québec.

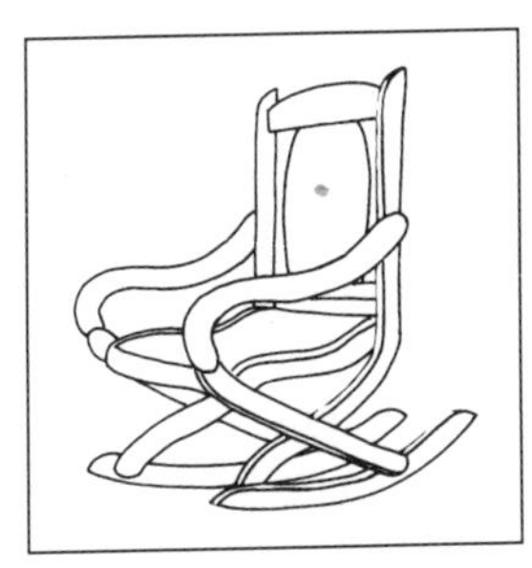

ROCKING-CHAIR:
Chaise berçante.

SCEPTIQUE:
Personne qui doute de tout, qui ne croit pas ce qu'on lui dit.

SQUATTERS:
Personnes qui occupent une propriété inoccupée qui ne leur appartient pas et à laquelle ils n'ont pas droit, en principe.

TRADITION:
Coutume, manière d'agir et de penser transmise de génération en génération.

TOUSSAINT:
Fête de tous les saints, le 1er novembre, confondue avec la fête des morts, le 2 novembre. C'est aussi le lendemain de la fête de l'Halloween où les enfants, déguisés, passent de porte en porte pour récolter des friandises, sous prétexte de calmer les mauvais esprits.

VANNIER:
Artisan qui tresse de la paille, du raphia, des roseaux, du rotin (de la vannerie) pour en faire des plats, des paniers, des jouets ou des meubles.

VIGNERON:
Homme qui travaille dans un vignoble et qui cultive la vigne.

- Cap-Saint-Ignace
- Sainte-Marie (Beauce)

Québec, Canada
1995